La famille Passiflore

Onésime, papa de cinq petits lapins
remuants, tient dans ses bras Dentdelion,
le plus jeune. Pirouette, la seule fille,
est gaie, décidée, raisonnable…
assez souvent ! Ce garçon à lunettes,
c'est Romarin : grand lecteur, savant
et sûr de lui. Toujours coiffé de sa casquette,
voici Mistouflet, le sportif.
Agaric, lui, est un tendre, un peu timide.
Et la maman ? Hélas, elle a été tuée
par un chasseur. Depuis, c'est
la vieille tante Zinia qui prend
soin de toute la maisonnée.

Geneviève Huriet

La Famille Passiflore

Loïc Jouannigot

Vive la glisse !

Milan

*D*epuis leur plus jeune âge, les cinq petits lapins Passiflore passent leurs vacances d'hiver à la montagne, chez Grand-Père Théo. Patin, luge, ski, raquettes : vive la glisse ! Laissant à la maison leur père Onésime et Tante Zinia, les enfants arrivent à Combe-Vieille. Ils s'installent pour quelques semaines, radieux et pleins de projets.

– L'étang est tout gelé. Cette année, je patine déclare Pirouette.
– Moi, crie Mistouflet, je suis inscrit aux Flèches Polaires.
On prépare une randonnée par équipes et on va gagner !
– On verra ça, champion ! Et toi, Romarin ?

– Je m'entraîne pour le slalom. Tu viendras me voir, Grand-Père ?
– Bien sûr ! Et vous, les deux petits ?
– On a une idée, répond Dentdelion. On peut prendre ta vieille luge ?
– Oui, elle est encore en état, répond le grand-père un peu surpris.

De la vieille luge démodée, Agaric et Dentdelion veulent faire
un traîneau. Qui les tirera ? Grognard, un vieux chien flegmatique,
leur ami depuis longtemps. Les lapins ne sont pas bien lourds
et l'idée de se promener dans la neige amuse le chien qui s'ennuie.
Il reste à bricoler des harnais et à trouver un grand fouet.
– N'oublions pas les provisions ! dit Agaric, très prudent.
En route pour l'étang gelé !

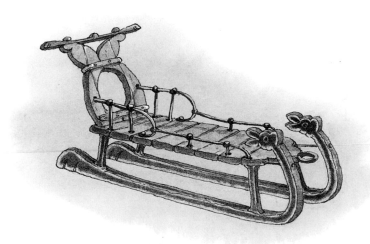

D'abord surpris, les patineurs applaudissent l'attelage.
Puis ils s'accrochent au traîneau pour se faire tirer sur la glace.
Léa Pyrex, reporter à *L'Étoile des Neiges* prend photo sur photo.

Mais Grognard se fatigue : excédé, le voilà qui gronde sourdement.
– Partons voir Mistouflet ! propose Agaric.

La montée est rude jusqu'au sentier de randonnée.
– Soulagez donc l'attelage ! aboie Grognard,
de mauvaise humeur.
Les deux frères poussent de toutes leurs forces.
Dentdelion se met à chanter à tue-tête :

> Un petit traîneau, tiré par un gros chien,
> C'est l'idéal, un vrai régal,
> Un petit traîneau, tiré par un gros chien,
> C'est une idée gé-niale !

Hélas ! les écureuils n'ont pas l'oreille musicale :
– Arrêtez ce tintamarre ! Du calme ! À bas les crécelles !

Vexé, Dentdelion persiste à chanter, une grêle de pommes de pin
s'abat sur l'attelage, sur le museau du chien. Grognard, furieux,
se démène comme un diable : le traîneau suit et se met de travers.
– Attention ! les Flèches Polaires ! crie soudain Agaric.
Trop tard ! Les skieurs sont en plein élan, le traîneau bloque la piste.
Badaboum ! C'est la chute pour Mistouflet et son équipe.
L'entraîneur est furieux :
– Partez d'ici avec votre carriole ! Et un peu vite ! On travaille ici !
Piteux, nos amis s'éloignent.
– Tâchons d'apercevoir Romarin ! soupire Dentdelion.

Prudents, les deux frères s'installent à l'écart, bien au-dessus
de la piste de slalom. On pique-nique : à lui seul, Grognard
dévore tout un pain d'épice !
Plus bas, la piste s'anime :
– Je vois le bonnet jaune de Romarin ! et Grand-Père Théo aussi !
crie Agaric.
– Passiflore, les plus forts ! hurle Dentdelion.
– You-hou ! réplique d'en bas Romarin.
Enthousiasmé, le chien fait un grand bond.
Crrrac ! les harnais ont cédé.

Le traîneau libéré dévale la pente sous l'œil épouvanté des spectateurs. Quelle panique ! Le slalom est interrompu, les skieurs s'éparpillent. Grand-Père Théo récupère le bolide bien abîmé et rejoint les coupables atterrés :
– Vous auriez pu provoquer un terrible accident !
Rentrez à la maison ! vous aurez affaire à moi ce soir !

C'est un triste retour. Grognard est fatigué, Agaric abattu.
Quant à Dentdelion, il rage !
– Moi, je reste ici !
Et il se hâte de terminer un igloo commencé la veille.
– Ça sera très froid ! proteste son frère.
– Trop petit ! aboie Grognard qui aime ses aises.
Clic-clac ! Derrière eux, Léa Pyrex prend une photo de plus :
– Un igloo maintenant, ces enfants sont pleins d'idées !
– Pleins d'idées et punis ! riposte Dentdelion.
La journaliste s'étonne : les garçons racontent leur journée.
Grognard pousse d'énormes soupirs.
– Rentrez chez vous, dit Léa. Je me charge de parler
à votre grand-père !

Les photos de Léa sont excellentes, son article très amusant.
Grand-Père Théo l'a invitée à manger la fondue. La journaliste
a des projets : Agaric et Dentdelion apprendront aux vacanciers
à bâtir un igloo.
– Ça vaudra mieux que de se fourrer partout avec leur traîneau,
bougonne Grand-Père Théo.
– Mais il est superbe, ce traîneau ! Si nous en faisions
l'équipage-presse ?
– Waou ! crient ensemble les cinq enfants.

La saison d'hiver à Combe-Vieille est une réussite.
Grand-Père Théo a réparé le traîneau : l'équipage-presse
est très populaire.
Grognard, devenu vedette, garde son mauvais caractère
mais ne s'ennuie plus du tout. Vive la glisse !